De beste SF-verhalen van het jaar (1976)

D0626615

Ursula K. Le Guin/John Varley/Kate Wilhelm
Jake Saunders/Joe Haldeman
Howard Waldrop/Michael Bishop

DE BESTE SF VERHALEN
VAN HET JAAR (1976)

samengesteld door Gardner Dozois

MCMLXXVIII
Elsevier-Amsterdam/Brussel

Een uitgave van Deltos Elsevier

Oorspronkelijke titel: BEST SCIENCE FICTION STORIES OF THE YEAR, Sixth Annual Collection (E. P. Dutton, New York)
Vertaling: ANNEMARIE KINDT
Omslagontwerp: NICO DRESMÉ
Omslagillustratie: HENK STADMAN

In deze bundel werd niet opgenomen het verhaal *Custer's Last Jump* van Steven Utley en Howard Waldrop.

© MCMLXXVII by Gardner Dozois
© MCMLXXVIII voor de Nederlandse taal:
B.V. Uitgeversmaatschappij Deltos Elsevier, Amsterdam.
D/MCMLXXVIII/0199/177   ISBN 90 10 02111 4

De samensteller spreekt zijn dank uit jegens de volgende mensen voor hun hulp en steun:
Isaac Asimov, Jack Dann, Virginia Kidd, Kirby McCauley, David G. Hartwell, Susan Casper, Christopher Casper, Janet en Riki Kagen, Tom Purdom, Michael Swanwick, George H. Scithers, C. L. Grant, Ben Bova, Victoria Schochet, Howard Waldrop, Geo. Proctor, Steve Utley, Terry Carr, M. S. Wyeth, Jr., Lynne McNabb, Ted White, Sharon Jarvis, Ellen Asher, James Baen, Fred Fisher en Judith Weiss van de Hourglass SF boekwinkel in Philadelphia, Tom Whitehead en zijn staf van de Special Collections Department van de Paley Library van Temple University, de auteurs wier verhalen in dit boek verschijnen voor hun behulpzaamheid bij het verschaffen van biografische gegevens en in het bijzonder dank aan mijn redacteur, Jo Alford.

Voor Jack Dann

Inhoud

Voorwoord

(samenvatting van de oorspronkelijke inleiding)

Science Fiction is een literatuur die zich bezighoudt met verandering en verandering is een medium dat zo alomtegenwoordig is dat wij, als een vis in het water, misschien niet eens beseffen dat het ons aan alle kanten omringt. De wereld komt ons alleen maar statisch voor omdat we te kort leven om haar te zien veranderen. Als we de tijd zouden kunnen versnellen, eonen tot seconden zouden kunnen samenpersen, dan zouden we bergen als water zien stromen en zien hoe vissen leren spreken. De SF is een lens die ons juist op die wijze helpt zien, een oog dat naar verandering kijkt; en voor de SF zelf was 1976 ook een jaar van verandering.

De SF-verhalenmarkt maakt nog steeds een enorme expansie door. Er waren dit jaar minstens 12 tijdschriften die SF heetten te publiceren (waarvan er 2, ondanks hun pretenties, niet meer dan fanzines waren); de meeste daarvan kwamen 4 keer, en sommige zelfs 12 keer per jaar uit. Bij de boeken zagen we 7 gevestigde bundelreeksen, plus daarnaast nog minstens 10 oorspronkelijke bundels. En dan hebben we het nog niet eens over de SF die verscheen in de 'herenbladen', in de snobtijdschriften, de kleine literaire tijdschriftjes en in tijdschriften en bundels in Engeland en Australië. Het is op het moment waarschijnlijk al onmogelijk om alle SF-verhalen die in de Engelse taal verschijnen op te sporen, laat staan te lezen.

SF was duidelijk 'in' in 1976, en tijdschriften als *Newsweek, Viva, Publishers Weekly, Writer's Digest* en *The New Republic* kwamen met lange artikelen over het genre.

Een betrekkelijk nieuw verschijnsel waren de boekhandels die uitsluitend aan SF zijn gewijd en die in heel het land als paddestoelen uit de grond schoten – ik ken er nu al ten minste 25 en er komen er steeds meer bij.

Dit was ook het jaar van de SF-grammofoonplaat. Alternate World Recordings Inc. heeft nu over de tien LP's van schrijvers die voorlezen uit eigen werk, onder wie Ellison, Leiber, Le Guin,

Aldiss, Sturgeon, Bradbury, Bloch en Russ. Een tweede aanbod, voornamelijk werk van en/of door J. J. R. Tolkien en Ray Bradbury, kwam van Caedmon, en *Analog* doet ook een duit in het zakje met een opname van 'Nightfall' van Asimov. SF- en fantasy-spelletjes, kalenders en posters vermenigvuldigden zich eveneens razendsnel dit jaar.

Van bijzonder belang voor aankomende SF-auteurs was een aantal werken over SF die dit jaar uitkwamen: *Writing & Selling Science Fiction* met opmerkelijke bijdragen van Wilhelm, Grant, Martin en Purdom; *Notes to a Science Fiction Writer* door Ben Bova, de hoofdredacteur van *Analog; The Science Fiction Handbook Revised* van L. Sprague en Catherine Crook De Camp; *The Craft of Science Fiction,* samengesteld door Reginald Bretnor, en *Hell's Cartographers,* samengesteld door Brian Aldiss en Harry Harrison. Eveneens erg nuttig is *The S. F. W. A. Handbook,* samengesteld door Mildred Downey Broxton, een eigen publikatie van de SF-schrijversvereniging S.F.W.A.

De tijdschriftenmarkt verslechterde vrijwel alleen maar in 1976. *Amazing* en *Fantastic* werden kwartaaluitgaven, als reactie op dalende verkoopcijfers en stijgende kosten. Het is nu vrijwel onmogelijk om ze nog in de kiosken te vinden, zelfs in hartje Manhattan. *Galaxy* begon al in het begin van het jaar onregelmatig te verschijnen en vertoonde verder ook alle tekenen van een tijdschrift in ernstige moeilijkheden. *Analog* was nog het gezondste SF-tijdschrift qua oplagecijfers en financiële situatie. Kwalitatief leken de verhalen in 1976 wat minder dan in 1975, wat ook wel een uitzonderlijk goed jaar is geweest. Het tijdschrift, dat wat betreft de kwaliteit van zijn verhalen onafgebroken aan de top stond, was ongetwijfeld *The Magazine of Fantasy and Science Fiction.*

En terwijl de meeste tijdschriften ternauwernood het hoofd boven water hielden werd er, vreemd genoeg, een viertal nieuwe tijdschriften op stapel gezet.

De vroegste vogel – die direct voor de poes bleek te zijn – was *Odyssey,* onder redactie van Roger Elwood, dat twee kwartaalnummers uitbracht met tweede- en derderangs materiaal van eersterangs auteurs. Het was daarnaast een onaantrekkelijk en onverzorgd tijdschrift op goedkoop papier, met advertenties voor breukbanden e.d. Een tweede nieuw tijdschrift, dat een

bittere teleurstelling werd, was *Galileo,* een kwartaalblad van
Charles C. Ryan. *Galileo* zag er wat netter uit dan *Odyssey,* maar
de inhoud was zo mogelijk nog slechter. Van alle nieuwe bladen
is er dit jaar maar één dat echt serieus genomen dient te worden
en dat enigermate succes heeft gehad, en dat is *Isaac Asimov's
Science Fiction Magazine,* geredigeerd door George H. Scythers.
Ook heb ik hoge verwachtingen van *Cosmos,* dat een kwaliteits-
uitgave moet worden, op glanspapier, groot formaat, kleuren-
omslagen en illustraties, en dat begin 1977 van start moet gaan.
Mijn hoop is gebaseerd op het feit dat de hoofdredacteur David
G. Hartwell zal zijn, een van de betere vakmensen. Maar mijn
hoop voor al deze bladen wordt weer getemperd door de weten-
schap dat er sinds de lancering van *Galaxy* in 1950 geen succes-
vol tijdschrift meer is bijgekomen.
De meest besproken romans van het jaar omvatten: *Man Plus*
van Frederik Pohl (en die tip ik voor de Nebula); *Where Late
The Sweet Birds Sang* van Kate Wilhelm; *Triton* van Samuel R.
Delaney; *Shadrach in the Furnace* van Robert Silverberg, *Impe-
rial Earth* van Arthur C. Clarke, *A World out of Time* van Larry
Niven; *Children of Dune* van Frank Herbert; *Mindbridge* van
Joe Haldeman; *The Clewiston Test* van Kate Wilhelm; *Cloned
Lives* van Pamela Sargent; *And Strange At Ecbatan The Trees*
van Michael Bishop; *Islands* van Martha Randall, *Beasts* van
John Crowley; en *The Devil in a Forest* van Gene Wolfe. Een
veelbelovend debuut werd dit jaar gemaakt door o.a. Sally A.
Sellers, Carter Scholz, Kim Stanley Robinson, Bruce Sterling,
Charlie Haas, Gary Cohn, Cherry Wilder en James P. Girard,
terwijl ik er waarschijnlijk nog wel een paar vergeten zal zijn.
Evenals in 1975 sloeg de dood in 1976 weer toe in de sf-gele-
deren. Op 1 februari stierf Edgar Pangborn, op 66-jarige leeftijd. Pangborn behoorde tot de uitgelezen kring van onderge-
waardeerde en genegeerde auteurs (en hierbij denken we ook
aan Philip K. Dick, Cordwainer Smith, Jack Vance en Richard
McKenna) die ongemerkt een enorme invloed hebben gehad op
de sf, doordat ze op andere auteurs en talloze auteurs in spe een-
voudig zo'n overweldigende indruk maakten. Pangborns meester-
werk *Davy* staat op mijn lijstje van de 10 beste sf-romans die
ooit verschenen zijn en zijn *A Mirror for Observers* (dat de Inter-
national Fantasy Award won) is bijna net zo goed. Pangborn zal

op korte termijn drastisch gerevalueerd moeten worden, want hij is tot nu toe schandelijk genegeerd.

Een andere zachtmoedige fantasticus die dit jaar overleed was Thomas Burnett Swann. Swanns verhalen zijn me soms wat te zoetig, maar als ik indertijd al samensteller van een bundel als deze was geweest, had ik zeker zijn meesterlijke novelle 'The Manor of Roses' opgenomen. Van zijn hand verschenen *The Day of the Minotaur* en *The Dolphin and the Deep*. Ook verloren we dit jaar Daniel F. Galouye, de auteur van *Dark Universe* en van *Lord of the Psychon*.

En ook dit is, helaas, verandering.

Gardner Dozois

De carrière van Ursula K. Le Guin is een van de meest opmerkelijke successen in de SF-*wereld. Ze is waarschijnlijk een van de populairste* SF-*schrijfsters en heeft al vier Hugo's gewonnen, drie Nebula's en een Jupiterprijs, plus de Amerikaanse nationale prijs voor het Kinderboek. Zij wordt, met uitzondering misschien van Isaac Asimov, door de gevestigde literatuur het best geaccepteerd als literair auteur. Als je vrienden die hun neus optrekken voor* SF *niet door het werk van Le Guin zijn te overtuigen van de artistieke waarde van science-fiction, laat ze dan maar schieten; dan zijn ze al dood – ze hebben het alleen zelf nog niet in de gaten.*

Hier zien we Le Guin op het toppunt van haar kunnen met een verhaal dat, alweer, de finale voor de Nebula haalde; een huiveringwekkend verhaal over een grauwe, devote wereld, waarin de enkeling een machine is, die gerepareerd en gereviseerd kan worden.

Ursula K. Le Guin

Het dagboek van de roos

30 augustus. Dr. Nades heeft me aangeraden een dagboek bij te houden. Als je dat zorgvuldig bijhoudt, zegt ze, dan weet je elke keer wanneer je het weer overleest wat je op een gegeven moment hebt gedacht en welke fouten je hebt gemaakt, zodat je daarvan weer kan leren; en ook kun je de voortgang of de afwijkingen van het positieve denken signaleren en zo steeds de koers van je werk bijsturen door een feedback-proces.

Ik neem me vast voor elke avond in dit schrift te schrijven en het aan het eind van de week over te lezen.

Ik wilde nu wel dat ik dat ook gedaan had toen ik nog assistent was, maar het is nu natuurlijk nog belangrijker, nu ik zelf patiënten heb.

Vanaf gisteren heb ik er zes, een hele lading voor een skopist, maar vier daarvan zijn de autistische kinderen waar ik het hele jaar al mee gewerkt heb voor de studie van dr. Nades voor het Nat. Psych. Bureau (mijn aantekeningen daarover zitten in het klin. psych. archief). De twee anderen zijn nieuwe patiënten:

Ana Jest, zesenveertig, inpakster in een brood- en banketfabriek, geh., g. kind., diagn.: depressies, verwijz.: stadspolitie; (zelfm. poging), en:

Flores Sorde, zesendertig, monteur, ongeh., geen diagn., verwijz.: TRTU; (psychopathisch gedrag, gewelddadig).

Dr. Nades zegt dat het belangrijk is om alles elke avond precies zo op te schrijven als het me tijdens het werk te binnen schiet; juist dat spontane is bij zelf-onderzoek zo onthullend (net als bij auto-psychoskopie). Ze zegt dat het beter is om het op te schrijven en niet op de band in te spreken, en om het helemaal voor mezelf alleen te houden, omdat ik anders misschien gegeneerd zou zijn. Dat is wel moeilijk, want ik heb nog nooit eerder iets geschreven dat helemaal voor mij privé was. Ik heb steeds het gevoel dat ik voor dr. Nades zit te schrijven. Misschien kan ik het haar later eens laten zien, als het nuttig blijkt te zijn, en haar advies eens vragen.

Ik denk dat Ana Jest depressief is door de menopauze en dat hormoontherapie voor haar voldoende zal zijn. Daar! Laten we nou maar eens zien of ik goeie prognoses kan maken.

Morgen met beide patiënten naar de skoop. Het is spannend om eigen patiënten te hebben, ik kan haast niet wachten. Maar het groepswerk was natuurlijk ook heel leerzaam.

31 augustus. Een half uur aan de skoop met Ana J. om 8.00 uur. Van 11.00 tot 17.00 het skoopmateriaal geanalyseerd. Niet vergeten volgende keer opname rechter hersengedeelte bij te stellen! Zwakke visuele concretie. Weinig audio, zwakke tast, onbetrouwbaar lichaamsbeeld. Morgen lab-analyse halen van hormoonbalans.

Verbazend hoe banaal het geestesleven van de meeste mensen is. Natuurlijk is die arme vrouw erg depressief. In de Bewuste dimensie was het beeld wazig en onsamenhangend, en in de Onbewuste diep en open, maar erg donker. Maar wat er uit die duisternis naar voren kwam was weer zo triviaal! Een paar oude schoenen en het woord 'aardrijkskunde'! En die schoenen waren ook zo onbestemd, meer een schematische voorstelling van schoenen; het konden mannen- of vrouwenschoenen zijn, zwarte of bruine. Hoewel ze duidelijk het visuele type is, heeft ze nooit iets helder voor ogen. Weinig mensen trouwens. Heel deprimerend. Toen ik eerstejaars was dacht ik altijd hoe prachtig het geestesleven van andere mensen zou zijn, hoe fijn het zou zijn om aan al die verschillende werelden deel te hebben, de verschillende kleuren van hun emoties en ideeën. Wat was ik toen naïef!

Ik besefte dat voor het eerst toen ik college had bij dr. Ramia toen we een opname bestudeerden van een heel beroemd en succesvol persoon, en toen ik merkte dat die persoon nog nooit naar een boom had gekeken, er nog nooit een had aangeraakt; ja, het verschil tussen een eik en een populier niet kende, of zelfs tussen een madeliefje en een roos. Voor hem waren dat gewoon 'bomen' en 'bloemen', die hij schetsmatig waarnam. Hetzelfde met gezichten van mensen, hoewel hij een ezelsbruggetje had om ze uit elkaar te houden. Meestal zag hij de naam, als een etiket, en niet eens het gezicht zelf. Dat was natuurlijk een Abstracte geest, maar met de concreten is het soms nog erger; hun waarnemingen zijn een soort ongedifferentieerde brij; bonensoep met ouwe schoenen.

Maar wat laat ik me meeslepen! Ik heb de hele dag de gedachten van een depressieve vrouw bestudeerd en ik ben zelf depressief geworden. Kijk maar, ik heb het zelf geschreven: 'heel deprimerend'. Ik zie meteen hoe waardevol dit dagboek kan zijn. Ik weet dat ik me gemakkelijk laat beïnvloeden.

Daarom ben ik natuurlijk een goede psychoskopiste, maar het is toch riskant.

Geen skoop vandaag met F. Sorde, aangezien patiënt nog onder verdoving. Als de TRTU mensen doorstuurt zijn ze meestal zo sufgespoten dat we ze de eerste dagen niet kunnen skoperen.

Morgenochtend om 04.00 uur droom-skoop met Ana J. Ik moest maar vast naar bed gaan.

1 september. Dr. Nades zegt dat wat ik gisteren geschreven heb, wel ongeveer was wat zij bedoeld had en ze heeft me gevraagd mijn dagboek weer aan haar te laten zien, als ik niet weet of ik het goed doe. Spontane gedachten, niet de technische gegevens want die gaan toch in de klapper. Niets doorstrepen. Openheid is het belangrijkste.

Ana's droom was interessant maar zo pathetisch. De wolf die een pannekoek werd! En dan nog zo'n enge, slappe, harige pannekoek! Visueel is ze helderder als ze droomt, maar de emotionele spanning blijft vrij laag (maar vergeet niet dat *jij* het affect bijdraagt, het zit er niet in). Vandaag begonnen met haar hormoontherapie.

F. Sorde was bij kennis maar te veel in de war om naar de skoopzaal te brengen. Bang. Weigerde voedsel. Klaagde over pijn in zijn zij. Ik dacht dat hij misschien niet goed begreep in wat voor ziekenhuis hij zich bevindt, en dus zei ik hem dat er lichamelijk niets met hem aan de hand was. 'Hoe weet u dat verdomme?' vroeg hij, waar hij wel gelijk in had, want hij zat in een dwangbuis vanwege de aantekening op zijn kaart dat hij gewelddadig was. Ik onderzocht hem en constateerde bloeduitstortingen, waarna ik een röntgenfoto liet maken; twee gekneusde ribben. Heb de patiënt uitgelegd dat het noodzakelijk was geweest hem met geweld in bedwang te houden opdat hij zichzelf niet zou verwonden. Hij zei: 'Iedere keer dat de ene wat vroeg gaf de ander me een trap.' Hij herhaalde dit enkele malen met tekenen van woede en verwarring. Paranoïde waanvoorstellingen? Als hij ze nog heeft wanneer de verdoving is uitgewerkt, dan zal ik daar voorlopig van uitgaan. Hij reageert heel aardig op me, en vroeg me m'n naam toen ik met de röntgenfoto bij hem kwam, waarna hij wel wilde eten. Ik moest hem mijn verontschuldigingen aanbieden, wat bij een paranoïde patiënt niet zo'n best begin is. De mensen die hem doorstuurden hadden het op zijn kaart behoren aan te tekenen van die ribben, of de opname-arts. Dit soort slordigheid is verbijsterend.

Maar ik heb ook goed nieuws. Rina (Studie-object 4 Autisme) heeft vandaag een zin gezien in de eerste persoon enkelvoud. Gezien ja, in dikke zwarte leesboekjesletters, die opeens hoog bovenaan voor in het Bewuste stonden: *ik wil in de grote zaal slapen*. (Ze slaapt alleen, wegens het faecesprobleem). De zin bleef meer dan vijf seconden staan. Ze zat hem te lezen in gedachten, haar gedachten, net als ik hem las op het holoscherm. Zwakke subverbalisatie, maar geen subvocalisatie, niets op de audio. Ze heeft nog nooit in de eerste persoon gesproken, ook niet in zichzelf. Ik vertelde het meteen aan Tio, en die vroeg haar na de skoop: 'Rina, waar wil je slapen?' 'Rina in de grote zaal.' Geen persoonlijk voornaamwoord nog, geen wilsexpressie. Maar een dezer dagen zál ze *ik wil* zeggen, hardop: 'ik wil'. En op die

basis dan misschien eindelijk een persoonlijkheid bouwen, op die grondslag. Ik wil, dus ik ben.
Er is zoveel angst. Waarom is er zoveel angst?

4 september. Twee dagen vrij, naar de stad geweest. Gelogeerd bij B. in haar nieuwe appartement op de noordelijke oever. Drie kamers helemaal voor haar alleen!! Maar ik hou eigenlijk niet zo van die oude gebouwen; ratten en kakkerlakken hebben ze daar, en het is er zo oud en vreemd, alsof de hongerjaren nog steeds om de hoek op de loer liggen. Ik was wat blij weer in mijn eigen kleine kamertje terug te zijn; wel helemaal voor mij in m'n eentje, maar toch omringd door anderen op de verdieping, m'n vrienden en collega's. En ik miste ook mijn dagboek. Ik wen me gauw iets aan. Dwangmatig.
Ana is een stuk beter; ze was gekleed, haar haar was gedaan, ze zat te breien. Maar de skopie was saai. Ik vroeg haar om aan pannekoeken te denken en ja hoor, dwars door de hele Onbewuste dimensie heen kwam die harige miserabele platte pannekoekwolf, terwijl ze in het Bewuste gehoorzaam probeerde een lekker kaaspannekoekje te visualiseren. Het ging niet eens slecht; de kleuren en de omtrekken waren een stuk fermer. Ik gok nog steeds op een eenvoudige hormoonbehandeling. Natuurlijk zullen ze ECT voorstellen, en natuurlijk is een co-analyse van het skoopmateriaal mogelijk; we kunnen met de pannekoekwolf beginnen en dan verder. Maar heeft het zin? Ze is al vierentwintig jaar pannekoek-inpakster, lichamelijk heeft ze een zwakke gezondheid. Haar levensomstandigheden kan ze niet veranderen, maar met een betere hormoonbalans kan ze het misschien weer een beetje aan.
F. Sorde: uitgerust nu maar nog achterdochtig. Extreme vreesreactie toen ik zei dat het tijd was voor onze eerste behandeling. Om zijn angst tot bedaren te brengen ging ik bij hem zitten en praatte over de aard en de werking van de psychoskoop. Hij luisterde aandachtig en zei ten slotte: 'En u gaat alleen de psychoskoop gebruiken?'
Ik zei ja.
'Niet de elektroshock?' vroeg hij.
Ik zei nee.
'Belooft u me dat?' vroeg hij.
Ik legde uit dat ik psychoskopiste ben en dat ik de apparatuur

voor de elektroconvulsie-therapie niet eens bedienen kan, dat dat een heel andere afdeling is. Ik zei dat mijn werk op dit moment alleen diagnose zou omvatten en geen therapie. Hij luisterde aandachtig. Hij heeft gestudeerd en hij begrijpt het verschil tussen 'diagnose' en 'therapie'. Interessant dat hij me om een *belofte* vroeg. Dat past niet in het paranoïde gedragspatroon; je vraagt niet om een belofte van iemand die je niet vertrouwt. Hij ging gewillig met me mee, maar toen we de skoopzaal binnenkwamen bleef hij staan toen hij de apparatuur zag en hij trok wit weg. Ik maakte het grapje dat dr. Aven altijd tegen zijn zenuwachtige patiënten maakt over de tandartsenstoel. F. S. zei: 'Zolang het de elektrische stoel maar niet is.'

Ik geloof dat het met een intelligente patiënt veel beter is om niet geheimzinnig te doen en zich een vals gezag aan te meten, met bij de patiënt een gevoel van hulpeloosheid (zie T. R. Olma: De Techniek van de Psychoskopie). Ik liet hem dus de stoel zien en de elektrodenkroon en legde uit hoe het werkte. Hij heeft wat lekenpraat opgevangen over de psychoskoop en zijn vragen doen duidelijk zijn technische opleiding uitkomen. Hij ging in de stoel zitten toen ik het hem vroeg. Terwijl ik de kroon en de klemmen aanbracht transpireerde hij rijkelijk, van angst; hetgeen hem geneerde, de geur bedoel ik. Als hij eens wist hoe Rina ruikt als ze poepschilderingen heeft gemaakt. Hij deed zijn ogen dicht en omklemde de armleuningen zo stevig dat zijn handen tot over zijn polsen wit werden. De schermen waren ook bijna helemaal wit. Na een tijdje zei ik op plagende toon: 'Het doet toch niet echt pijn?'
'Dat weet ik niet.'
'Maar nu toch niet?'
'Staat het al aan, dan?'
'Al negentig seconden.'
Hij deed zijn ogen open en keek zo goed als dat met de hoofdklemmen ging om zich heen. Hij vroeg: 'Waar is het scherm?'
Ik legde hem uit dat de patiënt het scherm nooit in actie mag zien, omdat de objectificatie zeer storend kan zijn, en hij zei: 'Zoals feedback in een microfoon?' Dat is precies de vergelijking die dr. Aven altijd gebruikte. F. S. is beslist een intelligent mens. Denk erom: intelligente paranoïde patiënten zijn gevaarlijk.
Hij vroeg: 'Wat ziet u?' en ik zei: 'Weest u nou stil, ik wil niet zien wat u zegt, ik wil zien wat u denkt.' En hij zei: 'Maar dat gaat u

toch feitelijk niet aan,' heel vriendelijk, alsof het een grapje was. Intussen was het angstwit overgegaan in donkere intense willekeurige wervelingen en toen verscheen er, een paar seconden nadat hij ophield met spreken, een roos over de hele Bewuste dimensie; een volle roze roos, prachtig ingevoeld en gevisualiseerd, helder en ferm en volledig.

Hij zei na een tijdje: 'Waar denk ik nu aan, dr. Sobel?' en ik zei: 'Beren in de dierentuin.' Ik vraag me achteraf af waarom. Zelfverdediging? Waartegen dan? Hij lachte en zijn Onbewuste werd kristaldonker van opluchting en de roos werd donkerder en begon te trillen. Ik zei: 'Ik maakte maar een grapje. Kunt u de roos weer terughalen?' Daar kwam het angstwit weer terug. Ik zei: 'Hoort u eens, het is helemaal verkeerd eigenlijk dat we bij een eerste zitting zo praten, u moet nog heel veel leren voor u kunt co-analyseren, en ik moet nog heel veel over u leren, dus nu maar liever geen grapjes meer, hè? Ontspant u zich maar en denk aan wat u maar wilt.'

Nervositeit en subverbalisatie op de Bewuste dimensie terwijl het Onbewuste tot grijs vervaagde; verdringing. De roos kwam een paar keer zwakjes terug. Hij probeerde zich daarop te concenreren, maar dat ging niet. Ik zag een aantal snelle visuele beelden: ik zelf, uniform, TRTU-uniformen, een grijze wagen, een keuken, de zaal voor gevaarlijke patiënten (krachtige audio-beelden, gegil), een bureau, de papieren op het bureau. Daar klampte hij zich aan vast. Het waren werktekeningen van een machine. Hij begon ze door te lopen. Het was een bewuste poging tot verdringing en zeer effectief. Ten slotte vroeg ik: 'Wat is dat voor machine?' en hij begon hardop te antwoorden, maar toen zweeg hij en liet mij het antwoord subvocaal horen in de oorfoon: 'een schema van een roterende tractie-motor' of iets dergelijks – de exacte bewoordingen staan natuurlijk op de band. Ik herhaalde het hardop en vroeg: 'Dat zijn toch geen geheime tekeningen, niet?' 'Nee,' zei hij hardop en hij voegde eraan toe: 'Ik ken helemaal geen geheimen.' Zijn reactie op een vraag is heel intens en complex; elke zin is als een hand grind dat in een vijver wordt gegooid – elkaar snijdende kringen die steeds wijder worden en zich snel uitbreiden over de Bewuste en Onbewuste dimensies, terwijl op alle niveaus respons loskomt. Binnen enkele seconden ging het allemaal schuil achter een groot bord dat hoog vooraan in de Bewuste dimensie verscheen, en dat opzettelijk was gevisualiseerd, net als de roos en de tekeningen, met een audio-versterking erbij terwijl hij het voorlas: GA WEG! GA WEG! GA WEG! steeds weer.

Het begon te vervagen en te flakkeren en de somatische signalen kregen de overhand; al gauw zei hij hardop: 'Ik ben moe,' en toen maakte ik een eind aan de zitting (12,5 min.).

Toen ik hem de kroon en de klemmen had afgenomen haalde ik een kop thee voor hem bij de personeelstoonbank in de hal. Toen ik hem de kop aanbood keek hij geschrokken op, en toen sprongen de tranen hem in de ogen. Zijn handen waren zo verkrampt van het omklemmen van de stoelleuning dat hij de kop maar met moeite kon vasthouden. Ik zei tegen hem dat hij niet zo gespannen en bang moest zijn; we waren er om hem te helpen, niet om hem kwaad te doen.

Hij keek naar me op. Ogen zijn net een skoopscherm, maar je kunt ze niet lezen. Ik wou dat hij de kroon nog op had gehad, maar je schijnt de ogenblikken die je het meest nodig hebt nooit op de skoop te kunnen vangen. Hij zei: 'Dokter, waarom ben ik in dit ziekenhuis?'

'Voor het stellen van de diagnose en om daarna te genezen.'

'Diagnose en genezing waarvan?' vroeg hij.

Ik zei dat hij zich die episode op dit moment misschien niet meer herinnerde, maar dat hij zich vreemd had gedragen. Hij vroeg hoe dan, en wanneer, en ik zei dat het hem allemaal weer helder voor de geest zou komen te staan wanneer de theraple begon te werken. Al had ik geweten waar zijn psychotische episode uit had bestaan, dan had ik nog hetzelfde gezegd. Zo doen we dat nu eenmaal. Maar ik voelde me in een valse positie gedrongen. Als het rapport van TRTU niet geheim was geweest had ik nu geweten waar ik het over had. Dan had ik beter kunnen reageren op wat hij daarop zei: 'Ik werd om twee uur in de nacht van mijn bed gelicht, in de gevangenis gegooid, ondervraagd, geslagen en verdoofd. Ik wil best aannemen dat ik me toen niet helemaal normaal gedragen heb. Wie wel op zo'n moment?'

'Iemand die overspannen is, interpreteert de handelingen van andere mensen ook wel eens verkeerd,' zei ik. 'Drink uw thee nu op, dan breng ik u terug naar de zaal. U hebt een beetje verhoging.'

'De zaal,' zei hij terwijl hij terugdeinsde, en toen vroeg hij bijna wanhopig: 'Weet u dan echt niet waarom ik hier ben?'

Dat was vreemd, alsof hij me in zijn waanvoorstelling had binnengehaald, *aan zijn kant*. Opzoeken in Rheingeld. Je zou toch enige transferentie daarbij veronderstellen, en daar is eigenlijk nog geen tijd voor geweest.

In de middag holo's van Jest en Sorde geanalyseerd. Ik heb nog nooit een psychoskopische realisatie gezien die zo mooi en levendig was als die roos, zelfs niet bij kunstmatig opgewekte hallucinaties. De schaduw van het ene blaadje op het andere, het vochtig fluwelen oppervlak van de bloemblaadjes, dat roze, zo vol zonlicht, het gele hart in het midden – ik ben ervan overtuigd dat de geur ook volmaakt was geweest als er een geur-opname aan de machine had gezeten; het was haast geen gedachtenspinsel, maar een echte bloem uit de aarde geworteld, die leefde en groeide op een sterke doornige stengel.

Heel moe. Gauw naar bed.

Heb het nog even overgelezen. Hou ik mijn dagboek wel op de juiste manier bij? Ik heb alleen maar opgeschreven wat er is gebeurd en gezegd. Is dat spontaan genoeg? Maar ik vind het echt belangrijk.

5 september. Vandaag bij de lunch met dr. Nades m'n probleem besproken over die bewuste weerstand. Ik heb haar gezegd dat ik wel gewerkt heb met onbewuste weerstanden (bij de kinderen, en bij depressieve patiënten als Ana J.) en dat ik wel een zekere vaardigheid heb verworven om erdoorheen te lezen, maar dat ik nog niet eerder een bewuste weerstand ben tegengekomen zoals dat GA WEG-bord van F. S., of de truc die hij vandaag toepaste, waar hij het een complete zitting van twintig minuten mee uithield. Hij concentreerde zich op zijn ademhaling, zijn lichaamsritmen, de pijn in zijn ribben en de visuele waarneming van de skoopzaal. Ze stelde voor om tegen dat laatste een blinddoek toe te passen en mijn aandacht op het Onbewuste gericht te houden, omdat hij toch niet kan verhinderen dat daar materiaal op doorkomt. Verbazend overigens hoezeer zijn Bewuste en Onbewuste elkaar overlappen, en hoezeer het ene veld binnen het andere resoneert. Ik geloof dat die concentratie op zijn ademhaling hem in een soort trance-toestand heeft gebracht. De meeste van die zogenaamde trances zijn natuurlijk occulte fakirtrucjes, een primitief overblijfsel dat voor de gedragswetenschappen van geen enkel belang is.

Ana dacht vandaag op mijn verzoek 'een dag uit mijn leven'. Wat saai en grauw allemaal, arme ziel. Zelfs aan eten dacht ze niet met genoegen, hoewel ze op een minimaal rantsoen leeft. Het enige dat even helder doorkwam was het gezicht van een kind, heldere donkere ogen, een roze gebreide muts en ronde wangetjes. In de bespreking na afloop vertelde ze me dat ze altijd langs een speelplaats van een school gaat, op weg naar haar werk, omdat ze het zo leuk vindt 'die kleintjes te zien hollen en schreeuwen'. Haar man verscheen op het scherm als een groot log werkpak en een dreigend verongelijkt gebrom. Ik vraag me af of ze weet dat ze al jaren zijn gezicht niet meer heeft gezien, of een woord heeft verstaan van wat hij zegt. Maar het heeft geen zin haar dat te vertellen. Het is misschien wel beter zo.

Ik merkte vandaag dat haar breiwerk een roze mutsje moet worden.

Ik lees nu *Disaffectie* van De Cam, op aanraden van dr. Nades.

6 september. Midden tijdens de zitting (hij was weer aan het ademtellen) zei ik hardop: 'Flores!'

De beide psy-dimensies werden wit, maar de somarealisatie veranderde nauwelijks. Na vier seconden gaf hij hardop slaperig antwoord. Het is geen 'trance', het is autohypnose.

Ik zei: 'Uw ademhaling wordt door de apparatuur ook wel bewaakt. Ik hoef echt niet te weten dat u nog ademt. Dit is erg vervelend.'

Hij zei: 'Ik bewaak mijn ademhaling liever zelf, dokter.'

Ik liep naar voren, nam hem de blinddoek af en keek hem aan. Hij heeft een prettig gezicht, het soort man dat je vaak bij machines ziet, gevoelig, maar geduldig als een ezeltje. Dat is dom. Nee, ik streep het niet weg. Ik moet toch spontaan zijn in mijn dagboek. Ezeltjes hebben heel mooie gezichten. Er wordt wel gezegd dat ze stom zijn en koppig, maar ze zien er zo wijs en kalm uit alsof ze heel veel hebben geleden, maar het je niet kwalijk nemen; alsof ze een heel goede reden hebben om niemand iets kwalijk te nemen. En met die witte kring om hun ogen zien ze er zo hulpeloos uit.

'Maar hoe meer u ademt,' zei ik, 'des te minder denkt u. Ik heb uw medewerking nodig. Ik probeer te ontdekken waar u zo bang voor bent.'

'Maar ik weet best waar ik bang voor ben,' zei hij.

'Waarom wilt u me dat dan niet zeggen?'

'U hebt me er nooit naar gevraagd.'

'Dat is heel onredelijk van u,' zei ik en dat was gek, nu ik erover nadenk, en verontwaardigd te zijn dat een geesteszieke onredelijk doet. 'Goed, dan vraag ik het nu.'

'Ik ben bang voor de elektroshock,' zei hij. 'En dat ze mijn geest vernietigen. Dat ik hier nooit meer uit mag, of alleen als ik me niets meer herinneren kan.' Hij hijgde toen hij dat zei.

Ik vroeg: 'Nou goed, waarom wilt u daar dan niet over denken terwijl ik naar de schermen kijk?'

'Waarom zou ik?'

'Waarom niet? U hebt het tegen me durven zeggen, waarom durft u er dan niet over te denken; ik wil de kleur van uw gedachten zien!'

'De kleur van mijn gedachten gaat u niets aan!' zei hij boos, maar ik was al omgelopen naar het scherm en ik zag de onbewaakte activiteit. Natuurlijk was het ook opgenomen toen we met elkaar praatten en ik heb het de hele middag bestudeerd. Het is fascinerend. Naast het gesproken woord heeft hij nog twee subverbale niveaus. Alle zintuiglijk-emotieve reacties en vertekeningen zijn krachtig, en zo complex. Hij 'ziet' mij bijvoorbeeld op drie geheel verschillende manieren, misschien wel meer nog; de analyse is heidens moeilijk! En de verbanden Bewuste-Onbewuste zijn zo gecompliceerd, en de geheugensporen en de huidige indrukken vlechten zich zo snel dooreen, en toch is het geheel in al zijn complexiteit geünifieerd. Het is net die machine die hij stond te besturen, allemaal heel ingewikkeld, maar in mathematische harmonie toch één. Net als de blaadjes van de roos.

Toen hij besefte dat ik stond te observeren, schreeuwde hij: 'Gluurster, smerige gluurster! Laat me met rust! Ga weg!' En toen liet hij zich gaan en begon te huilen. Op het scherm verscheen een korte, duidelijke fantasie van enkele seconden; hij rukte de armklemmen en hoofdklemmen los, trapte de machine in elkaar en holde het gebouw uit, en daarbuiten, daarbuiten was een wijde heuveltop met kort droog gras onder de avondlucht, en hij stond er helemaal alleen. Terwijl hij in zijn stoel geklemd zat te snikken. Ik brak de zitting af en nam hem de kroon af en vroeg of hij thee wilde, maar hij wilde geen antwoord geven. Ik maakte dus zijn armen los en haalde een kop thee voor hem. Er was vandaag suiker, een hele doos vol. Dat zei ik tegen hem, en ook dat ik er twee klontjes in had gedaan.

Toen hij wat thee had gedronken zei hij op overdreven ironische toon, omdat hij zich schaamde dat hij gehuild had: 'U weet dus dat ik van zoet houd? Dat heeft uw psychoskoop u zeker verraden, dat ik van suiker houd?'

'Doe niet zo mal,' zei ik. 'Iedereen houdt toch van suiker als hij het krijgen kan.'

'Nee, kleine dokter,' zei hij. 'Niet iedereen houdt van suiker.' Op dezelfde toon vroeg hij hoe oud ik was en of ik getrouwd was. Hij was in een gemene bui. Hij zei: 'Wilt u niet trouwen? Met uw werk getrouwd zeker? Geesteszieken helpen om weer een constructief bestaan te leiden ten dienste van de Staat, hè?'

'Ik hou van mijn werk,' zei ik, 'omdat het moeilijk is en interessant. Net als het uwe. U houdt toch ook van uw werk?'

'Ik wel,' zei hij. 'Maar zeg dat maar gedag.'

'Hoezo?'

Hij klopte op zijn hoofd en zei: 'Zzzzzzzzt! En alles is weg. Ja toch?'

'Waarom bent u er zo van overtuigd dat we elektroshocks gaan voorschrijven. Ik heb nog niet eens de diagnose gesteld.'

'Diagnose?' zei hij. 'Hoor nou eens, hou op met dat spelletje. Die diagnose is al lang gemaakt. Door de hooggeleerde heren doktoren van de TRTU. Ernstig geval van disaffectie. Prognose: zeer kwalijk. Therapie: sluit hem op bij een stel krijsende spartelende gekken en kijk dan zijn geest door, zoals we ook zijn papieren hebben doorgelopen. En daarna brand je hem schoon. Ja toch, dokter? Waarom moet je aldoor doen alsof; diagnose, kopjes thee! Kun je het niet gewoon dóen? Moet je beslist alles beduimelen voor je het verbrandt?'

'Flores,' zei ik heel geduldig. 'jij zegt nu zelf "vernietig mij"; hoor je dat niet? De psychoskoop vernietigt niets. En ik gebruik hem ook niet om bewijsmateriaal te verkrijgen. Dit is geen rechtbank, geen proces. En ik ben geen rechter, ik ben dokter.'

Hij onderbrak me: 'Als je dokter bent zie je dan niet dat ik niet ziek ben?'

'Hoe kan ik nou wat zien als je me steeds buiten probeert te houden met die stomme GA WEG-bordjes?' schreeuwde ik. Ja, ik heb echt geschreeuwd. Dat geduld was maar een pose geweest, en die

24

viel prompt aan flinters. Maar ik zag dat ik tot hem doorgedrongen was en ik ging gewoon door. 'Je ziet er ziek uit, je gedraagt je als iemand die ziek is: twee kapotte ribben, verhoging, geen eetlust, huilbuien – is dat een teken van goede gezondheid? Als je niet ziek bent, bewijs het me dan! Laat me zien hoe je van binnen bent, daarachter, daaronder!'

Hij keek in zijn kopje en lachte een beetje en haalde zijn schouders op. 'Ik kan er toch niet tegenop,' zei hij. 'Waarom probeer ik met je te praten? Je ziet er zo eerlijk uit! Verdomme nog-antoe!'

Ik liep weg. Het is toch erg hoe een patiënt je kan kwetsen. Het probleem is dat ik gewend was aan de kinderen; die wijzen je volledig af, als dieren die verstijven, of ineenkrimpen of bijten. Maar met deze man, die intelligent is en ouder dan ik, is er eerst communicatie en vertrouwen, en dan de klap. Dat doet veel meer pijn.

Het doet me ook pijn dit op te schrijven. Nog steeds. Maar het is erg nuttig. Ik begrijp bepaalde dingen die hij gezegd heeft nu veel beter. Ik denk dat ik dit voorlopig niet aan dr. Nades laat zien, tot ik de diagnose voltooid heb. Als er een grond van waarheid steekt in zijn bewering dat hij is gearresteerd op verdenking van disaffectie (en hij is bepaald onzorgvuldig in zijn uitlatingen) dan denkt dr. Nades misschien dat zij het geval zou moeten overnemen, omdat ik nog geen ervaring heb. Dat zou ik jammer vinden. Ik kan de ervaring zo goed gebruiken.

7 september. Domoor! Daarom heeft ze je juist dat boek van De Cam gegeven. Natuurlijk weet ze het. Als Hoofd van de sectie heeft ze toegang tot het TRTU-dossier van F. S. Ze heeft me deze zaak met opzet toegeschoven.

Het is beslist erg leerzaam.

Vandaag was F. S. nog boos en mokkerig. Fantaseerde opzettelijk een seks-scène. Hij putte uit zijn herinnering, maar terwijl ze onder hem lag te zwoegen plakte hij er plotseling een karikatuur van mijn gezicht overheen. Het was heel effectief. Ik betwijfel of een vrouw zo iets zou hebben gekund; de herbeleving van de geslachtsdaad is bij de vrouw meestal duisterder en grootser en ze maken van zichzelf en de ander niet van die ledenpoppen van vlees, met verwisselbare kop. Na een tijdje begon de voorstelling

25

hem te vervelen (ondanks de levendigheid van het beeld was er weinig somatische betrokkenheid, zelfs geen erectie) en dwaalden zijn gedachten af. Voor het eerst. Een van de tekeningen op het bureau kwam terug. Hij is vast ontwerper want hij veranderde er iets op met een potlood. Tegelijkertijd klonk er een wijsje over de audio in mentale zuivertoon, en in het Onbewuste kwam er, overlappend in het raakvlak, een grote donkere kamer, gezien vanuit het gezichtspunt van een kind, met heel hoge vensterbanken; het was avond buiten de ramen, de boomtakken werden donker en in de kamer klonk de stem van een vrouw, heel zacht, misschien las ze iets voor, en soms voegde ze haar stem bij het deuntje. Intussen schoot het hoertje op het bed het beeld in en uit, met korte wilsinspanningen, en iedere keer was er minder van haar over, tot er alleen nog maar een tepel was te zien. Dat heb ik er vanmiddag allemaal uit weten te analyseren; de eerste sequentie van meer dan tien seconden die ik duidelijk en in zijn geheel heb kunnen analyseren.

Toen ik de zitting afbrak vroeg hij: 'En wat ben je te weten gekomen?' op die spottende manier van hem.

Ik floot een stukje van het deuntje.

Hij keek erg bang.

'Het is een fijn wijsje,' zei ik. 'Ik heb het nooit eerder gehoord. Als het van jou is zal ik het nooit ergens anders fluiten.'

'Het is uit een of ander kwartet,' zei hij en hij had zijn 'ezel'-gezicht weer op, hulpeloos en geduldig. 'Ik houd van klassieke muziek. Heb je niet . . .'

'Ik heb het meisje gezien,' zei ik. 'Met mijn gezicht erop. Weet je wat ik graag zou zien?'

Hij schudde zijn hoofd, mokkend schuldbewust.

'Je jeugd.'

Daar keek hij van op. Na een tijdje zei hij: 'Goed, mijn jeugd mag je hebben. Waarom niet? Je krijgt het ten slotte toch allemaal. Hoor eens, je neemt het toch allemaal op de band op? Zou ik het eens mogen zien. Ik wil zo graag zien wat jij ziet.'

'Natuurlijk,' zei ik. 'Maar het zal je heus niet zoveel zeggen als je denkt. Ik heb er acht jaar over gedaan om te leren observeren. Je begint met je eigen opnamen. Ik heb de mijne maandenlang bekeken voor ik er iets in herkende.'

Ik bracht hem naar mijn plaats, zette de oorfoon op en liet hem dertig seconden van de laatste sequentie zien.

Daarna was hij erg bedachtzaam en vol ontzag. Hij vroeg: 'Wat was die op en neer gaande beweging? Een soort toonladder op de achtergrond, zou je kunnen zeggen.'

'Visueel overzichtsbeeld – je had je ogen dicht – en de sublimale proprioceptieve informatie-invoer. De Onbewuste en de Bewuste Lichaamsdimensie overlappen elkaar voortdurend in vrij grote mate. We voeren de drie dimensies apart in omdat ze toch vrijwel nooit geheel samenvallen, behalve bij zuigelingen. Die heldere driehoekige beweging links op de holo was waarschijnlijk de pijn in je ribben.'

'Zo voel ik hem niet!'

'Je ziet het toch ook niet; je voelde het zelfs niet eens bewust op dat moment. Maar we kunnen een pijngevoel in een rib niet in het holoscherm vertalen en daarom geven we er een visueel symbool aan. En zo gaat het ook met alle gewaarwordingen, affecten en emoties.'

'En neem je dat nu allemaal tegelijk waar?'

'Ik zei toch al dat ik er acht jaar over heb gedaan. En besef wel dat het maar een fragment is. Niemand kan een volledige psyche op een schermpje van anderhalve meter krijgen. We weten niet of er grenzen zijn aan de psyche. Alleen misschien de grenzen van het universum.'

Na een tijdje zei hij: 'Misschien ben je niet achterlijk, dokter. Misschien ga je alleen maar heel erg op in je werk. Dat kan ook gevaarlijk zijn, weet je, als je je te veel in je werk verdiept.'

'Ik houd van mijn werk,' zei ik, 'en ik hoop dat ik er een positieve bijdrage mee lever.' Ik lette goed op eventuele symptomen van disaffectie. Hij glimlachte een beetje en zei op trieste toon: 'Kwezeltje.'

Ana gaat goed vooruit. Ze heeft nog last met eten. Heb haar in de onderlinge therapiegroep van George geplaatst. Wat zij nodig heeft, althans een van de dingen die zij nodig heeft, is een beetje aanspraak. Waarom zou ze feitelijk eten? Voor wie zou ze in leven blijven? Wat we psychose noemen is soms gewoon een kwestie van realisme. Maar van realisme alleen kan een mens niet leven.

Het patroon van F. S. sluit nergens aan op de klassieke paranoïde psychoskopische patronen in Rheingeld.

Het boek van De Cam vind ik moeilijk te begrijpen. De terminologie van de politiek is zo heel anders dan die van de psychologie. Alles lijkt op zijn kop te staan. Ik moet in het vervolg echt beter opletten bij het uurtje P.D. op zondagavond. Ik ben lui geweest. Of nee, zoals F.S. zei: te zeer verdiept in mijn werk, en dus heb ik de context van mijn werk veronachtzaamd, bedoelde hij. Ik vergat te bedenken *waarvoor* ik bezig was.

10 september. Ik ben de afgelopen paar avonden zo moe geweest, dat ik mijn dagboek maar heb overgeslagen. Alle gegevens staan op de band en in mijn aantekeningen voor de analyse, natuurlijk. Ik ben echt heel hard bezig geweest met de F.S. analyse. Het is heel opwindend. Hij heeft een zeer ongebruikelijke geest. Niet briljant, zijn intelligentie metingen zitten in de goede middelmaat, hij is geen oorspronkelijk denker of een kunstenaar, geen schizofrene inslag, ik kan niet zeggen wat het is, maar ik voel me vereerd dat ik heb mogen delen in de jeugd die hij voor mij heeft opgeroepen. Ik kan niet zeggen wat het is. Er was natuurlijk pijn en angst, de dood van zijn vader door kanker, maandenlange ellende toen F.S. twaalf was, dat was verschrikkelijk, maar dat komt uiteindelijk toch niet als pijn naar boven; hij heeft het niet vergeten of verdrongen, maar het is gewoon anders geworden door zijn liefde voor zijn ouders en zijn zuster en voor de muziek en de vorm en het gewicht en de maat van alle dingen, en zijn herinneringen aan het licht en het weer van lang vervlogen dagen, en die geest van hem, die altijd bezig is, rustig tastend, zoekend, reikend naar buiten om volledig te worden.

Er is nog geen kwestie van formele co-analyse, daar is het nog veel te vroeg voor, maar hij werkt zo intelligent mee, dat ik hem vandaag vroeg of hij zich bewust was van de Donkere Broederfiguur die verschillende Bewuste herinneringen naar de Onbewuste dimensie had begeleid. Toen ik de figuur beschreef, met een slordige bos haar, keek hij geschrokken op en zei: 'Bedoel je Dokkay?' Dat woord had ik al op de subverbale audio gehoord, hoewel ik nog geen verband had gelegd met de figuur.

Hij vertelde dat toen hij een jaar of zes was, hij de naam 'Dokkay' had bedacht voor een soort beer waar hij vaak over droomde, of dagdroomde. 'Ik zat op zijn rug,' vertelde hij. 'Hij was groot en ik was klein. Hij sloeg muren kapot en hij vermorzelde van alles, kwaje dingen, weet je wel, pestkoppen en spionnen en men-

sen die mijn moeder bang maakten, en gevangenisssen en het donkere steegje dat ik niet door durfde, en politie-agenten met pistolen, en de pandjesbaas. Hij gooide ze gewoon omver. En dan liep hij dwars door het puin naar de heuveltop met mij op zijn rug. Het was er erg stil. Het was er altijd avond, vlak voor de sterren doorbreken. Gek om daar nu aan terug te denken. Dertig jaar geleden is dat alweer! Later werd hij een soort vriend, een man of een jongen met haar als een beer. Maar hij sloeg nog steeds dingen kapot en ik mocht met hem mee. Het was ontzettend leuk.'
Ik schrijf dit laatste zo uit mijn geheugen op want de zitting werd onderbroken doordat de stroom uitviel. Het is toch ergerlijk dat het ziekenhuis zo laag op de prioriteitenlijst van de regering staat. Vanavond het Positief Denken bijgewoond en aantekeningen gemaakt. Dr. K. sprak over de gevaren en valse voorstellingen van het liberalisme.

11 september. F.S. wilde me vanochtend Dokkay laten zien, maar dat lukte niet. Hij lachte en zei hardop: 'Ik kan hem niet meer zien. Ik denk dat ik het misschien zelf ben geworden.'
'Laat me eens zien wanneer dat gebeurde,' vroeg ik en hij zei: 'Goed' en begon zich meteen een episode uit het begin van zijn adolescentie te binnen te brengen. Het had met Dokkay niets te maken. Hij zag dat iemand gearresteerd werd. Ze zeiden dat deze man illegaal drukwerk uitdeelde. Later zag hij ook een van die pamfletten, de titel was in zijn visuele geheugenbank bewaard: 'Is er Gelijkberechtiging?' Hij las het wel, maar wist zich de tekst niet meer te herinneren, of hij slaagde erin het voor mij te censureren. Die arrestatie was vreselijk levendig bewaard. Met details als het blauwe overhemd van de jongeman, en het hoestende geluid dat hij uitstootte en het geluid van de slagen, de uniformen van de TRTU-agenten en de wagen die wegreed, een grote grijze wagen met bloed op het portier. Het kwam telkens weer terug, die wagen die de straat uitreed, telkens weer. Het was een traumatisch incident voor F.S. en het verklaart misschien zijn overdreven angst voor het geweld van de uit de nationale veiligheidsbepalingen voortvloeiende nationale rechtspleging, die hem ertoe bracht zich ten tijde van het onderzoek zo abnormaal te gedragen, hetgeen als een neiging tot disaffectie is uitgelegd – naar mijn mening ten onrechte.

Ik zal laten zien waarom ik dat geloof. Toen die episode was af-
gesloten zei ik: 'Flores, denk eens voor mij over democratie.'
'Kleine dokter,' zei hij, 'voor zo'n gat ben ik toch niet te vangen!'
'Ik probeer je niet te vangen. Nou, kun je over democratie denken, of niet?'
'Ik denk er vaak over,' zei hij en hij schakelde over op de rechter
brein-helft, muziek. Het was het koor in het laatste deel van de
Negende Symfonie van Beethoven. Ik herkende het van de Kunst-
geschiedenislessen op de middelbare school. We zongen er patriot-
tische teksten op. Ik gilde: 'Je moet het niet wegcensureren!' En
hij zei: 'Schreeuw maar niet zo, ik kan je wel horen.' Natuurlijk
was het helemaal stil in de zaal, maar de audio nam een enorm
geluidsvolume op, duizenden mensen die samen zongen. Hij ging
hardop verder: 'Ik censureer het niet weg, ik denk aan democratie.
Dat is democratie voor mij. Hoop, broederschap, geen muren.
Alle muren weg. Jij, wij, ík maak het universum! Hoor je het
niet?' En het was weer die heuveltop, het korte gras en het gevoel
hoog te staan, en de wind en de hele wijde lucht. De muziek was
de hemel.
Toen het afgelopen was en ik hem losmaakte uit de kroon, zei ik:
'Dank je wel.'
Ik zie niet in waarom een dokter een patiënt niet eens mag bedan-
ken voor een openbaring vol schoonheid en betekenis. Natuurlijk
is het gezag van de arts van belang, maar het hoeft niet domine-
rend te zijn. Ik besef natuurlijk dat in de politiek de autoriteiten
moeten leiden en voorgaan en gevolgd worden, maar in de
psychologie is het wat anders; de dokter kan de patiënt niet 'genezen', de patiënt geneest zichzelf, met onze hulp. Dit is niet strij-
dig met het Positief Denken.

14 september. Ik ben van streek na een lang gesprek met F.S.
vandaag, en ik zal proberen mijn gedachten te verhelderen.
Omdat de verwonding aan zijn ribben hem belet aan de arbeids-
therapie deel te nemen, is hij nogal rusteloos. De zaal met de gevaarlijke patiënten vindt hij verschrikkelijk en ik heb dus mijn gezag aangewend om de aantekening van zijn kaart te krijgen, drie
dagen terug, waarna hij naar Mannenzaal B is verhuisd. Zijn bed
staat naast dat van de oude Arca en toen ik hem kwam halen voor
de zitting, zaten ze te praten, hij op het bed van Arca. F.S. zei:

'Dokter Sobel, mag ik je voorstellen aan mijn buurman, professor Arca van de faculteit van Kunst en Letteren aan de Universiteit.' Natuurlijk kende ik de oude man – hij is hier al jaren, veel langer dan ik – maar F.S. was zo hoffelijk en ernstig, dat ik zei: 'Ja, professor Arca, hoe maakt u het?' en de oude man de hand drukte. Hij groette me beleefd als een vreemde – hij kan zich vaak geen mensen herinneren van de ene dag op de andere.

Toen we naar de skoopzaal liepen vroeg F.S.: 'Weet je hoe vaak hij een elektroshockbehandeling heeft gehad?' En toen ik nee zei, vervolgde hij: 'Zestig keer. Hij vertelt me dat elke dag opnieuw. Hij is er trots op.' En toen zei hij: 'Wist je dat hij een internationaal befaamd geleerde was? Hij heeft een boek geschreven – De Vrijheidsgedachte – over de denkbeelden die in de twintigste eeuw heersten over vrijheid in de politiek en in de kunsten en wetenschappen. Ik heb het gelezen toen ik techniek studeerde. Toen bestond het. Op de planken, overal. Nu bestaat het niet meer. Nergens meer. Vraag Arca maar. Hij heeft er nog nooit van gehoord.'

'Ja, er treedt altijd enig geheugenverlies op bij de elektroconvulsieve therapie,' zei ik, 'maar het verloren materiaal kan weer worden aangeleerd en komt trouwens vaak spontaan weer terug.'

'Na zestig keer?' vroeg hij.

F.S. is lang en hij loopt wat krom, maar zelfs in de ziekenhuispyjama is hij een indrukwekkende figuur. Maar ik ben ook lang en het is dus niet omdat ik korter zou zijn dat hij me 'kleine dokter' noemt. Hij is ermee begonnen toen hij boos op me was, en nu doet hij het wanneer hij iets bitters wil zeggen maar niet wil dat het mij kwetst, de ik die hij kent. Hij zei: 'Kleine dokter, hou nou op met doen alsof. Je weet dat de geest van die man opzettelijk is verwoest.'

Nu zal ik proberen precies op te schrijven wat ik toen zei, want het is belangrijk. 'Ik ben bepaald niet voor algemene toepassing van elektroconvulsieve therapie. Ik zou het voor mijn eigen patiënten ook niet voorschrijven, alleen in zeer bepaalde gevallen van seniele melancholie. Ik ben juist psychoskopie gaan studeren omdat het een integratief instrument is en geen destructief instrument.'

Dat is allemaal volkomen waar, maar ik heb dat nog nooit bewust zo gedacht of gezegd.

'Wat ga je mij voorschrijven?' vroeg hij.

Ik legde uit dat zodra mijn diagnose is afgerond mijn aanbeveling wordt voorgelegd aan het Hoofd en het Assistent-Hoofd van de Sectie. Ik zei dat tot nog toe niets in zijn voorgeschiedenis of persoonlijkheidsstructuur aanleiding gaf tot het toepassen van ECT, maar dat we natuurlijk nog niet zo erg ver waren gekomen.

'Laten we er dan lekker lang over doen,' zei hij terwijl hij naast me voortslofte met zijn kromme schouders.

'Waarom? Ben je er zo dol op?'

'Nee, maar op jou wel. Maar ik zou graag het onvermijdelijke einde nog wat uitstellen.'

'Waarom blijf je daar zo op hameren dat het onvermijdelijk is, Flores? Zie je dan niet dat jouw ideeën op dat punt helemaal niet rationeel zijn?'

'Rosa,' zei hij – en hij had me nooit eerder bij mijn voornaam genoemd – 'Rosa, over het kwaad kun je niet rationeel doen. Er zijn gezichten die de rede niet ziet. Natuurlijk ben ik irrationeel, wanneer ik geconfronteerd word met de aanstaande vernietiging van mijn geheugen, van mijzelf. Maar ik ben niet malende. Je weet heel goed dat ze mij hier niet . . .' hij aarzelde en zei toen: 'niet onveranderd vandaan zullen laten gaan.'

'Om een psychotische episode . . .'

'Ik heb geen psychotische episode gehad. Dat moest je toch inmiddels wel weten.'

'Waarom ben je dan hierheen gestuurd?'

'Ik heb een paar collega's die zich graag beschouwen als rivalen van mij, concurrenten. Ik heb begrepen dat zij aan de TRTU hebben verklikt dat ik een subversieve liberaal was.

'En wat was hun bewijs?'

'Bewijs?' We waren inmiddels in de skoopzaal aangeland. Hij sloeg zijn handen een ogenblik voor zijn gezicht en lachte verwilderd. 'Bewijzen? Een keer heb ik op een bijeenkomst van mijn sectie een hele tijd staan praten met een buitenlander die op bezoek was, een vakgenoot, een ontwerper. En ik heb een stel vrienden, weet je, onproduktieve mensen, bohémiens. En van de zomer heb ik ons sectiehoofd laten zien waarom een ontwerp waar hij al goedkeuring van de regering voor had, niet deugde. Dat was dom van me. Misschien ben ik hier wel omdat ik, eh, imbeciel ben. Ja, en ik lees. Ik heb het boek van professor Arca gelezen.'

'Maar dat doet toch niets ter zake. Je denkt toch positief, je houdt toch van je land, je bent toch niet disaffectief!'

'Ik weet het niet,' zei hij. 'Ik houd van de idee van de democratie, de hoop, ja daarvan houd ik. Ik zou niet zonder kunnen leven. Maar een land? Bedoel je dat plekje op de landkaart, alles wat binnen de lijnen ligt is goed, en wat daarbuiten ligt telt niet mee? Hoe kan een volwassen mens zo'n kinderachtig denkbeeld liefhebben?'

'Maar je zou je natie toch nooit aan een buitenlandse vijand verraden.'

'Nou,' zei hij, 'als het ging tussen de natie en de hele mensheid, of de natie en een vriend, dan misschien wel. Dat kun je verraad noemen; *ik* noem het moreel handelen.'

Hij is inderdaad een liberaal. Precies waar dr. Katin het zondag over had.

Klassieke psychopathie: het ontbreken van het normaal affect. Hij zei het zo zonder enige emotie: 'Misschien wel.'

Nee, dat is niet waar. Hij zei het moeizaam, vol pijn. Ík was zo geschokt dat ik niets voelde, niets, kilte.

Hoe moet ik een dergelijke psychose, een politieke psychose, behandelen? Ik heb het boek van De Cam nu twee keer gelezen en ik geloof nu wel dat ik het begrijp, maar er is nog steeds een leemte tussen politiek en psychologie, het boek vertelt me wel hoe ik denken moet, maar niet hoe ik positief kan *handelen*. Ik begrijp hoe F.S. zou moeten denken en voelen, en ik zie het verschil met zijn huidige geestesgesteldheid, maar ik weet niet hoe ik hem op moet voeden zodat hij positief gaat denken. De Cam zegt dat disaffectie een negatieve toestand is die moet worden gevuld met positieve denkbeelden en emoties, maar dat slaat niet op F.S. De leemte is niet in hem. Ja, juist in die leemte van De Cam, tussen de politieke en de psychologische wereld, zijn *zijn* denkbeelden van toepassing. Maar hoe kan dat, als het verkeerde ideeën zijn?

Ik heb dringend advies nodig, maar van dokter Nades kan ik het niet krijgen. Toen ze me de De Cam gaf zei ze: 'Je vindt hier alles in wat je nodig hebt.' Als ik haar nu vertel dat ik het er niet in heb kunnen vinden, dan geef ik toe dat ik het niet kan, en dan zal ze me deze patiënt afnemen. Ik geloof eigenlijk dat dit een soort proef is om te kijken hoe ik het aanpak. Maar ik heb de ervaring

nodig, ik leer ervan, en trouwens, de patiënt praat vrijuit tegen me. Dat doet hij alleen omdat hij weet dat wat hij me vertelt volstrekt in vertrouwen is. Daarom kan ik dit dagboek niet aan een ander laten zien en kan ik deze problemen niet met een ander bespreken, niet totdat de genezing een aanvang heeft genomen en dat vertrouwen niet meer zo essentieel is.
Maar ik zie niet hoe dat zou kunnen gebeuren. Het komt mij voor dat vertrouwen tussen ons altijd een essentiële zaak zal zijn.
Ik moet hem leren hoe hij zijn gedrag aan de werkelijkheid aan moet passen, anders zal hij beslist ECT krijgen, wanneer de sectie in november de lopende gevallen bekijkt. Daar heeft hij al die tijd wel gelijk in gehad.

9 oktober. Ik ben opgehouden in dit dagboek te schrijven toen het materiaal van F.S. me 'gevaarlijk' leek voor hem (of voor mezelf). Ik heb het vanavond allemaal nog eens overgelezen. Ik zie wel dat ik dit nooit aan dr. Nades kan laten zien. Ik schrijf dus nu gewoon maar wat ik wil. Dat had ze ook wel gezegd, maar ik geloof dat ze verwacht had dat ik het geregeld aan haar zou laten zien; ze dacht dat ik dat zelf zou willen en dat was in het begin ook zo, en dat ik het haar grif zou laten zien als ze me erom vroeg. Ze vroeg er gisteren naar. Ik zei dat ik ermee opgehouden was, omdat ik er toch alleen maar dingen inzette die al in het analyse-archief zaten. Ze keurde het duidelijk niet goed, maar ze zei niets. In onze verhouding van dominante tegenover ondergeschikte is de laatste paar weken verandering gekomen. Ik heb niet zo'n behoefte meer aan haar leiding en na het ontslag van Ana Jest en mijn artikel over autisme, plus de succesvolle analyse van de banden van T.R. Vinha kan ze mijn ondergeschikte afhankelijkheid niet meer waarmaken. Maar ze zal mijn onafhankelijkheid wel niet prettig vinden. Ik heb de kaft van mijn schrift gescheurd en de losse blaadjes bewaar ik nu in de gespleten achterkant van mijn Rheingeld; ze zal goed moeten zoeken om ze te vinden. Terwijl ik dat deed werd ik helemaal misselijk en kreeg ik erge hoofdpijn.
Allergie: een patiënt kan duizenden keren aan stuifmeel worden blootgesteld, of gebeten worden door vlooien, zonder een reactie te krijgen. Dan krijgt hij een virusinfectie of een geestelijk trauma of een bijesteek, en de volgende maal dat hij jakobskruid of

vlooien tegen het lijf loopt begint hij te niezen, te hoesten en te proesten en wat al niet. Met andere irritatie-stoffen is het precies hetzelfde. Je moet er eerst gevoelig voor worden. 'Waarom is er zoveel angst?' heb ik geschreven. Nu weet ik dat dan. Waarom is er geen privacy? Het is oneerlijk, smerig. Ik mag de 'geheime' dossiers niet lezen die zij in haar kantoor heeft liggen, hoewel ik met de patiënten werk en zij niet. Maar ik mag nu eenmaal geen 'geheim' materiaal hebben, zelf. Alleen mensen in een gezagspositie mogen geheimen kennen. Hun geheimen zijn goed, al zijn het leugens.

Luister, luister, Rosa Sobel, arts, gespecialiseerd in de psychotherapie en in de psychoskopie; ben je zelf patiënt geworden? Wiens gedachten denk je nu?

Je hebt zes weken lang elke dag twee tot vijf uur in de geest van een ander gewerkt. Een edelmoedig, integer, geestelijk gezond brein. Je hebt nog nooit met zo iemand gewerkt. Alleen met gehandicapten en bange mensen. Je was nog niet tegenover een gelijke komen te staan.

Wie is de therapist, jij of hij?

Maar als er niets verkeerd is met hem, wat word ik dan verondersteld te genezen? Hoe kan ik hem helpen? Hoe kan ik hem redden? Door hem te leren liegen?

(Ongedateerd). De afgelopen twee avonden heb ik tot middernacht de diagnostische skoops van professor Arca zitten bekijken, die elf jaar geleden zijn vastgesteld toen hij werd opgenomen, vóór de elektroshockbehandeling.

Vanmorgen wilde dr. N. weten waarom ik 'zo ver in het archief was gedoken'. (Dat betekent dat Selena aan haar verslag uitbrengt welke dossiers er worden opgevraagd. Ik ken elke centimeter van de skoopzaal, maar ik controleer hem nu elke dag, helemaal.) Ik antwoordde dat de studie van de ontwikkeling van de ideologische disaffectie bij intellectuelen mij zeer interesseerde. We waren het erover eens dat intellectualisme de neiging heeft negatief denken te stimuleren en tot psychose kan leiden, en dat de lijders daaraan bij voorkeur behandeld dienen te worden zoals professor Arca behandeld is, waarna ze kunnen worden ontslagen indien ze nog competent zijn. Het was een zeer interessante en harmonieuze discussie.

Ik heb gelogen, gelogen, gelogen. Opzettelijk heb ik gelogen, willens en wetens, en zo goed als ik kon. Zij heeft ook gelogen. Zij is een leugenaarster. Zij is ook een intellectueel! Ze is een leugen. Een lafaard. Ze is bang.

Ik wilde de opnamen van Arca doorlopen om een beter perspectief te krijgen. Om mezelf te bewijzen dat Flores allerminst uniek of oorspronkelijk is. Dat is waar. De verschillen zijn fascinerend. De Bewuste dimensie van professor Arca was schitterend, statig, maar zijn Onbewuste materiaal was veel minder goed geïntegreerd en minder interessant. Dr. Arca wist veel meer en de kracht en de schoonheid van zijn gedachtenbeweging was verre superieur aan die van Flores. Die van Flores zijn vaak buitengewoon warrig. Dat is een element van zijn vitaliteit. Dr. Arca is een ... nee, was een Abstractdenker, net als ik, en daarom had ik minder plezier van zijn opnamen. Ik miste de stevigheid, het ruimte-tijd realisme, de intense zintuiglijke klaarheid van de geest van Flores. Vanochtend in de skoopzaal vertelde ik hem wat ik had gedaan. Zijn reactie was, zoals gewoonlijk, niet wat ik verwacht had. Hij is erg op de oude man gesteld, en ik had gedacht dat hij blij zou zijn. Hij zei: 'Wou je zeggen dat ze de banden bewaard hebben en de geest vernietigd?' Ik vertelde hem dat alle banden bewaard worden als lesmateriaal en ik vroeg of hem dat dan niet blij stemde, dat er een opname bestond van de gedachten van Arca, vastgelegd toen hij op zijn geestelijk hoogtepunt was; was dat niet net als zijn boek, vroeg ik, een blijvend stukje van een geest die toch vroeg of laat seniel zou worden en sterven. 'Nee!' zei hij. 'Niet zolang zijn boek verboden is en de bandopnamen geheim zijn. Zelfs in de dood geen vrijheid en geen privacy? Dat is het ergste van alles!'

Na de zitting vroeg hij of ik zijn diagnostische opnamen zou kunnen en willen vernietigen als hij ECT krijgt. Ik zei dat zulke banden gemakkelijk zoek of beschadigd kunnen raken, maar dat ik het vreselijk zonde zou vinden. Ik had veel van hem geleerd, en later zouden anderen nog van hem kunnen leren. 'Begrijp je dan niet,' zei hij, 'dat ik niet gebruikt wil worden door de mensen met pasjes om geheim materiaal in te zien? Ik wil me niet laten gebruiken, daar gaat het allemaal juist om. Jij hebt me nooit gebruikt. We hebben samengewerkt. Samen onze tijd volgemaakt.'

De laatste tijd denkt hij steeds aan gevangenschap. Fantasieën, dagdromen van gevangenissen, werkkampen. Hij droomt van de gevangenis zoals mensen in de gevangenis over vrijheid dromen. Ja, nu ik het pad zich zie vernauwen zou ik hem ook wel naar de gevangenis willen sturen, als ik maar kon, maar nu hij hier zit is daar geen kans op. Als ik in het verslag zet dat hij politiek gevaarlijk is, dan zetten ze hem terug naar de zaal voor gevaarlijke geesteszieken en krijgt hij ECT. Er is hier geen rechter die hem levenslang kan geven. Alleen doktoren die doodvonnissen geven. Wat ik doen kan is de diagnose zo lang mogelijk pogen te rekken, en een verzoek indienen voor volledige co-analyse met een krachtige prognose voor volledige genezing. Maar ik heb al drie keer het rapport proberen op te stellen en het is erg moeilijk om het zo te verwoorden, dat duidelijk blijkt dat ik weet dat de kwaal ideologisch is (zodat ze mijn diagnose niet meteen terzijde schuiven) maar het toch ongevaarlijk en mild genoeg te laten overkomen dat ze mij hem met de psychoskoop laten behandelen. En dan nog, waarom zouden ze er een jaar aan spenderen, plus het gebruik van onze dure apparatuur, wanneer er een goedkope en eenvoudige afdoende behandeling voorhanden is? Wat ik ook zeg, dat argument houden ze. Het duurt nog twee weken tot de Sectie-schouw. Ik moet dat rapport zo schrijven dat ze het onmogelijk terzijde kunnen schuiven. Maar als Flores nu gelijk heeft, als dit allemaal een spelletje is geweest, liegen over liegen, en als ze vanaf het begin al de opdracht hebben gehad van TRTU: 'Wis deze man uit . . .'

(Ongedateerd). Vandaag Sectie-schouw.
Als ik aanblijf heb ik nog wat macht. Kan ik iets goeds uitrichten. Nee nee nee maar ik kan niet zelfs dit niet zelfs dit niet wat kan ik nou doen hoe kan ik het tegenhouden

(Ongedateerd). Gisternacht droomde ik dat ik op de rug van een beer reed door een diep ravijn tussen steile berghellingen, die recht omhooggingen naar een duistere hemel, het was winter, er lag ijs op de rotsen

(Ongedateerd). Morgenochtend zal ik Nades zeggen dat ik ontslag neem en dat ik overplaatsing aanvraag naar het kinderziekenhuis. Maar ze moet m'n overplaatsing goedkeuren, anders sta ik

in de kou. Nee, ik sta al in de kou. Deur op slot terwijl ik schrijf. Zodra dit af is ga ik naar de stookketel, beneden; alles het vuur in. Er is nergens meer.

We kwamen elkaar tegen in de hal. Er was een broeder bij hem. Ik vatte zijn hand. Die was grof en benig en koud. Hij vroeg zachtjes: 'Gaat het nou gebeuren, Rosa . . . de elektroshocks?' Ik wilde niet dat hij de moed zou verliezen voor hij de trap op was, de gang door. Het is zo'n lange gang. Ik zei: 'Nee, gewoon nog wat onderzoek. Een EEG waarschijnlijk.'

'Dan zie ik je morgen?' vroeg hij en ik zei ja.

Ik heb woord gehouden. Vanavond ben ik naar hem toe gegaan. Hij was wakker. Ik zei: 'Ik ben dokter Sobel, Flores. Ik ben Rosa.' 'Aangenaam,' mummelde hij. Hij heeft een lichte verlamming van de linker gelaatshelft. Dat trekt wel weer weg.

Ik ben Rosa. Ik ben de roos. Ik ben de roos, ik ben de roos. De roos zonder bloem, de roos van enkel doornen, de geest die hij smeedde, de hand die hij beroerde, de winterroos.

Voorspellingen zijn altijd een beetje riskant – maar toch waag ik het er dit keer maar op. Ik voorspel hier, zwart op wit, dat John Varley binnen vijf jaar (en waarschijnlijk veel eerder al) een van de grootste namen zal zijn in de SF *en vrijwel zeker ten minste een Nebula en/of Hugo zal hebben gewonnen.*

Varley verscheen plotseling op het toneel in 1975 met een stel briljante verhalen, waarvan er één, In the Bowl, *finalist was voor de Nebula in 1976. Het zou niemand hebben verbaasd, als 1976 daarna een anti-climax zou zijn geweest, maar nee, dat was een nog beter jaar, waarin hij een schier eindeloze stroom eersteklas verhalen produceerde, daarmee bevestigend dat zijn eerste verhalen geen toevalstreffers waren. We zijn hier getuige van de ontplooiing van een talent, dat even duidelijk is als eertijds Delany, Niven, Zelazny en Tiptree.*

Varley is geboren in Texas en woont nu in Eugene, in Oregon, met zijn vrouw Anet Mconel en zijn drie kinderen. Sinds hij in 1973 begon met schrijven heeft hij meer dan twintig verhalen verkocht, één roman: Ophiuchi Hotline, *en een verhalenbundel:* Overdrawn at the Memory Bank.

Er waren dit jaar vele verrukkelijke Varley-verhalen om uit te kiezen, maar ik koos ten slotte een verhaal uit Isaac Asimov's Science-Fiction Magazine, *gepubliceerd onder het pseudoniem Herb Boehm: een bizar, schokkend en benauwend verhaal dat de lezer zonder omwegen bij de keel grijpt.*

John Varley

Overval in de lucht

Ik schokte wakker toen de onhoorbare alarmschel in mijn schedeldak begon te vibreren. Het houdt niet op voor je overeind gaat zitten, dus ik schoot omhoog. In de verduisterde slaapzaal lagen de andere Snaaiers alleen of getweeën te slapen. Ik geeuwde, krabde mijn ribben en gaf Gene een klopje op zijn harige flank. Hij draaide zich om. Geen romantisch afscheid dus.

Ik wreef de slaap uit mijn ogen, pakte mijn been van de vloer, gespte het om en knipte het aan. Toen holde ik langs de rijen stapelbedden naar de Commandokamer. Het situatiebord stond te gloeien in het duister. Sun-Belt Airlines, vlucht 128 van Miami naar New York, 15 september 1979. Daar zochten we al drie jaar naar en ik had eigenlijk blij moeten zijn, maar wie brengt dat op als ie pas wakker is?

Liza Boston liep mompelend langs me heen naar de Prep. Ik mompelde terug en liep achter haar aan. Rondom de spiegels schoten de lichten aan en ik liep er tastend heen. Achter ons kwamen nog drie lui binnengestrompeld. Ik ging zitten, sloot mezelf aan en toen kon ik eindelijk even achteroverleunen en mijn ogen dichtdoen.

Maar niet lang. Zjoeff! Ik schoot overeind toen het slik dat mijn bloed moet voorstellen vervangen werd door opgevoerde hoogoctaan. Ik keek om me heen en zag een reeks dolle grijnzen. Daar had je Liza en Pinky en Dave. Bij de muur stond Cristabel al langzaam in de rondte te draaien voor een verfspuit die haar een blank-kaukasisch uiterlijk opspoot. Een goed team zo te zien.

Ik trok de la open en begon mijn gezicht voor te bereiden. Iedere keer is het meer werk. Ondanks die transfusie zag ik eruit als een levend lijk. Het rechteroor was nu helemaal verdwenen. Ik kon mijn lippen niet meer dichtdoen en mijn tandvlees lag nu voortdurend bloot. Vorige week was een van mijn vingers afgevallen terwijl ik sliep. Nou én? Godsamme!

Terwijl ik bezig was gloeide een van de schermen rondom de spiegel aan. Een glimlachend jong vrouwtje, blond, hoog voorhoofd, rond gezichtje. Dat leek wel wat. De tekst schoof langzaam over het scherm: *Mary Katrina Sondergard, geboren in Trenton, New Jersey, leeftijd in 1979: 25 jaar.* Nou meid, daar ga je dan.

De computer haalde de huid van haar gezicht om me de beenderstructuur te laten zien, roteerde de kop en gaf me een doorsnede. Ik bestudeerde de overeenkomsten met mijn eigen schedelvorm en lette op de verschillen. Niet kwaad, ik had het wel eens slechter getroffen.

Ik stelde een gebit samen met net zo'n opening tussen de twee voortanden. Met kneedpasta vulde ik mijn wangen op. Er kwamen contactlenzen uit de automaat getuimeld en ik zette ze in. Met neusdopjes maakte ik mijn neus breder. Oren waren niet nodig, daar viel de pruik overheen. Ik trok een blanco plastivleesmasker over mijn gezicht en moest even wachten terwijl het in model smolt. Het duurde maar een minuutje en toen zat het volmaakt. Ik glimlachte tegen mezelf. Leuk om lippen te hebben. Een transportbuis rammelde en liet een blonde pruik en een roze kostuumpje in mijn schoot vallen. De pruik was nog warm van de kapper. Ik zette hem op en trok het kousbroekje aan.

'Mandy? Heb je het profiel van Sondergard al?' Ik keek niet op; ik herkende die stem.

'Jawel.'

'We hebben haar te pakken, vlak bij het vliegveld. We kunnen jou voor de vlucht al onderschuiven, dan ben jij de joker.'

Ik kreunde en keek naar het gezicht op het scherm. Elfreda Baltimore-Louisville, Hoofd van de Operationele Teams; een levenloos gezicht en spleetjesogen. Ja, wat kan je anders als je spieren dood zijn?

'Oké.' Je hebt maar te nemen wat je wordt voorgezet.

Ze schakelde uit en de volgende paar minuten trachtte ik me aan te kleden terwijl ik mijn ogen op het scherm gericht hield. Ik prentte me namen en gezichten in van de bemanningsleden plus de weinige dingen die over hen bekend waren. Toen holde ik de deur uit achter de anderen aan. Sinds het alarm waren twaalf minuten en zeven seconden verstreken. We moesten opschieten.

'Die verdomde Sun-Belt,' kankerde Christabel terwijl ze haar beha ophees.

'Nou, ze zijn nou tenminste van die hoge hakken af,' merkte Dave op. Een jaar eerder zouden we op zeven centimeter hoge plateauzolen door het gangpad hebben gestrompeld. We droegen allemaal korte roze jurkjes met diagonale blauwe en witte strepen op de voorkant en een bijpassende schoudertas. Ik liep te hannesen om het belachelijke dophoedje op mijn hoofd gespeld te krijgen. We draafden de verduisterde commandozaal binnen en gingen bij de poort staan. Nu konden wij niets meer doen. Tot de poort gereed was konden we alleen wachten.

Ik was eerst en ik stond nog geen meter van de poort vandaan. Ik ging er met mijn rug naar toe staan want ik word er altijd duizelig van. Ik keek maar liever naar de gedrochten die aan de bedieningslessenaars zaten, in het gele schijnsel van hun schermen. Ze keken geen van allen terug. Ze hebben het niet op ons. Ik heb het ook niet zo op hen; ze zijn allemaal verdord, uitgemergeld. Onze dikke benen en billen en borsten voelen ze als een verwijt; dan weten ze weer dat Snaaiers vijf keer zoveel rantsoen te eten krijgen om presentabel te blijven voor de maskerade. Intussen rotten we verder weg. Op een dag zal ik ook achter zo'n lessenaar zitten. Op een dag zal ik in een bedieningslessenaar worden *ingebouwd,* met mijn hele hebben en houwen d'r uit, tot er van mijn lichaam niks anders over is dan stank. Klootzakken.

Ik verborg mijn pistool onder een baal papieren zakdoekjes en lippenstiften in mijn schoudertas. Elfreda stond naar me te kijken.

'Waar is ze?' vroeg ik.

'Op haar motelkamer. Ze is alleen geweest van de vorige avond 22.00 uur tot 12.00 uur op de dag van vertrek.'

De vertrektijd was 13.15 uur. Ze had lang getreuzeld, en zou dus haast hebben. Mooi.

'Kun je haar in de badkamer te pakken krijgen? Of nog beter, in bad?'

'We doen ons best.' Ze tekende met haar vinger een glimlach op haar levenloze lippen. Ze wist hoe ik graag te werk ging, maar ze wilde me beduiden dat ik het maar moest nemen zoals het viel. Maar vragen kost geen geld. Mensen zijn enorm hulpeloos als ze tot hun nek in het water liggen.

'Ja!' riep Elfreda. Ik stapte door de poort heen en toen begon het mis te gaan.

Ik stond de verkeerde kant op; ik stapte de badkamerdeur *uit,* de slaapkamer in. Ik draaide me om en zag door de nevel van de poort Mary Katrina Sondergard staan. Ik kon niet naar haar toe, want de poort stond in de weg. Ik kon zelfs niet schieten, want dan zou ik iemand aan de andere kant raken.

Sondergard stond voor de spiegel, dat is de allerslechtste positie. Weinig mensen herkennen zichzelf meteen, maar ze stond net naar zichzelf te kijken. Ze zag me en zette grote ogen op. Ik deed een stap opzij, zodat ze me niet meer kon zien.

'Wel verdomme wat . . . hé, wat is . . . wie . . .' Ik lette goed op haar stem, dat is vaak het moeilijkste om goed na te doen.

Ik dacht dat ze eerder verbaasd zou zijn dan bang, en ik had goed geraden. Ze kwam de badkamer uit en liep door de poort alsof die er niet was, en dat was ook zo, want de poort heeft maar één kant. Ze had een handdoek om zich heen.

'Christus te paard, wat doe jij in mijn. . .' Op zo'n moment kom je woorden te kort. Ze wist dat ze iets moest zeggen, maar wat? *Neem me niet kwalijk, heb ik je niet net in de spiegel gezien?*

Ik zette m'n beste stewardessenglimlach op en stak mijn hand uit. 'Neem me niet kwalijk dat ik zo binnen kom vallen, maar ik wil het graag even uitleggen. Ik ben namelijk . . .' Ik verkocht haar een klap tegen de zijkant van haar hoofd; ze wankelde en viel met een smak op de vloer. Haar handdoek viel op de grond. Ze wilde overeind komen, dus gaf ik haar een peut onder haar kin met mijn kunstknie. Ze bleef liggen.

'Ik moet olie hebben, verdomme,' siste ik terwijl ik mijn bezeerde knokkels wreef. Maar daar was geen tijd voor. Ik knielde naast haar neer en voelde haar pols. Alles goed, alleen dacht ik dat ik een paar tanden los had geslagen. Ik bleef even zitten kijken. God, dat je er zo uit kunt zien zonder make-up, zonder kunstmiddelen en -ledematen. M'n hart brak bijkans.

Ik greep haar bij haar knieën en werkte haar door de poort. Een zak slappe deegslierten was ze. Iemand stak zijn hand uit, greep haar bij haar voeten en trok. *Meid, tabee! Wat dacht je van een lekkere lange reis?*

Ik ging op haar tijdelijke bed zitten om op adem te komen. Autosleutels en sigaretten zaten er in haar tasje; echte tabak, dat is z'n gewicht in bloed waard. Ik stak er zes tegelijk op want volgens mij had ik vijf minuten voor mezelf. De kamer raakte vol zoete rook. Zo maken ze ze tegenwoordig niet meer.

De wagen van Hertz stond op het parkeerterrein van het motel. Ik stapte in en reed naar het vliegveld. Ik ademde diep de koolhydratenrijke lucht in. Ik kon honderden meters ver zien. Ik werd bijna duizelig van die verte, maar ik leef eigenlijk voor dergelijke ogenblikken. Je kan gewoon niet uitleggen hoe het is in de tijd voor de smurrie. De zon was een felle gele bol die door de nevel scheen.

De andere stews gingen al aan boord. Sommigen kenden Sondergard en daarom zei ik maar niet veel, alleen dat ik een kater had. Dat viel prima; er werd veelbetekenend gelachen en geplaagd. Kennelijk was het typisch iets voor haar. We gingen dus aan boord van de 707 en maakten ons op voor de komst van de schapen.

Het zag er prima uit. De vier commando's aan de andere kant waren identieke tweelingzussen van de vrouwen waar ik nu mee samenwerkte. Tot het ogenblik van vertrek hoefde ik niets anders te doen dan stewardess te spelen. Ik hoopte dat er niet nog meer tegenslag zou zijn. Een poort inverteren om een joker te planten in een motelkamer is één, maar richten op een 707 op 6000 meter hoogte is weer wat anders . . .

Het toestel was bijna vol toen de vrouw die Pinky zou vervangen de deur vergrendelde. We taxieden naar het eind van de startbaan en toen zaten we in de lucht. Ik begon bestellingen voor drankjes op te nemen.

De schapen waren het gebruikelijke sprotje voor 1979. Allemaal even vet en brutaal en ze waren zich al evenmin bewust van het paradijs waarin ze leefden, als een vis zich bewust is van de zee. *Dames en heren, wat zou u denken van een tochtje naar de toekomst? Nee? Nou, dat verbaast me feitelijk niks. En als ik u nou eens zou vertellen dat dit vliegtuig straks . . .*

M'n oproeper piepte toen we onze kruishoogte bereikt hadden. Ik keek op de indicator onder mijn kwartshorloge en wierp toen een blik op een van de wc's. Ik voelde een trilling door het toestel gaan. *Verdomme, niet nu al.*

De poort was er wel degelijk. Ik kwam snel weer naar buiten en wenkte Diana Gleason – Dave z'n pakkie-an – om naar voren te komen.

'Moet je dat zien,' zei ik met een gezicht alsof ik iets vies zag. Ze wilde het toilet binnengaan, maar bleef staan toen ze het groene lichtschijnsel zag. Ik zette mijn schoen tegen haar achterste en drukte door. Prachtig. Dave zou zo de gelegenheid hebben haar stem te horen voor hij binnenkwam. Hoewel ze waarschijnlijk alleen maar zou gillen als ze eenmaal om zich heen had gekeken . . .

Dave kwam door de poort terwijl hij zijn belachelijke hoedje rechtzette. Diana had zeker tegengestribbeld.

'Je moet smerig kijken,' fluisterde ik.

'Wat een troep,' zei hij toen hij het toilet verliet. Het was een redelijke imitatie van Diana's toon, hij zat alleen finaal naast het accent. Maar dat zou er toch niet lang meer toe doen.

'Wat is er?' Een van de stews uit de toeristenklasse. We gingen opzij zodat ze kon kijken, en Dave duwde haar erdoor. Pinky schoot in een ommezien te voorschijn.

'We komen tijd te kort,' zei Pinky. 'Aan de andere kant zijn we er vijf verloren.'

'Vijf?' piepte Dave/Diana. Ik dacht hetzelfde. We hadden honderddrie passagiers te verwerken.

'Ja. Ze zijn de verbinding kwijtgeraakt nadat jij mijn grietje erdoor had geduwd en het heeft vijf minuten geduurd voor ze opnieuw hadden afgestemd.'

Je went eraan. Aan beide kanten van de poort loopt de tijd met verschillende snelheid, zij het wel altijd chronologisch, van het verleden naar de toekomst. Toen we de operatie eenmaal begonnen waren, dus vanaf het moment dat ik Sondergards kamer binnenkwam, konden we aan geen van beide kanten meer terug naar een vroeger ogenblik. En de poort kon van de andere zijde nooit langer dan drie uur in stand worden gehouden.

'Hoeveel tijd is er verstreken sinds het alarm, toen jij wegging?'

'Achtentwintig minuten.'

Dat klonk niet best. Het zou al minstens twee uur duren om de sloebs aan te passen. Aangenomen dat de '79-tijd niet verder zou doorschieten, konden we het nét halen. Maar het schiet altijd wel wat door. Ik huiverde toen ik eraan dacht hoe het zou zijn mee naar beneden te gaan.

'Dan hebben we geen tijd voor geintjes,' zei ik. 'Pink, ga jij naar de toeristenklasse en roep die twee grietjes hierheen. Laat ze een voor een komen, en zeg maar dat we een probleempje hebben. Je kent dat wel.'

'Ja, m'n tranen verbijtend. Gesnapt.' Ze repte zich naar achteren. In minder dan geen tijd verscheen de eerste. Haar vriendelijke Sun-Belt Airlines glimlach zat op haar gezicht gebakken, maar haar maag zat natuurlijk in de knoop. O God, nou zullen we het hebben!

Ik pakte haar bij haar elleboog en trok haar achter het gordijn voorin. Ze haalde gejaagd adem.

'Welkom in schemerland,' zei ik en zette het pistool tegen haar slaap. Ze zakte in elkaar en ik ving haar op. Pinky en Dave hielpen me om haar door de poort te krijgen.

'Vertuig! Het kreng flikkert.'

Pinky had het goed gezien. Een kwaad teken. Maar het groene schijnsel stabiliseerde zich alweer terwijl we toekeken, met joost mag weten hoeveel doorschiet aan de andere kant. Cristabel kwam erdoor gestapt.

'Plus drieëndertig bij ons,' zei ze. Het had geen zin om uit te spreken wat we allemaal dachten: dat het beroerd ging.

'Terug naar de toeristenklasse,' zei ik. 'Wees dapper, lach tegen iedereen, maar overdrijf het een beetje, snap je?'

'Voor mekaar,' zei Cristabel.

De volgende werkten we snel en zonder incidenten af. Toen was er geen tijd meer om na te praten. Over eenentachtig minuten zou Vlucht 128 een berghelling bezaaien, of we klaar waren of niet.

Dave ging naar de cockpit om te zorgen dat de bemanning ons niet voor de voeten liep. Pinky en ik zouden de eerste klas te grazen nemen, en dan Christabel en Liza gaan helpen in de toeristenklasse. We gebruikten de 'koffie, thee, limonade-truc' waarbij we ons verlieten op onze snelheid en hun passiviteit.

Ik boog me over de twee voorste plaatsen aan de linkerkant.

'Gaat het allemaal plezierig?' Plof. Plof. Tweemaal de trekker overgehaald vlak bij hun hoofd, en buiten het gezichtsveld van de andere schapen.

'Daag, ik heet Mandy. Gaat-ie lekker?' Plof. Plof.

Toen we bijna bij de pantry waren, keken een paar lui ons vragend aan. Maar mensen maken over het algemeen geen stennis voor ze meer bewijzen hebben. Achteraan stond er een op en ik gaf hem de volle laag. Er waren inmiddels nog maar acht schapen bij kennis, en ik liet de glimlach verder voor wat ie was en vuurde snel achter elkaar vier schoten af. Pinky nam de rest voor haar rekening. We snelden door de gordijnen, net op tijd.

Er was oproer in de maak achter in de toeristenklasse, waar zestig procent al was bewerkt. Cristabel wierp me een blik toe en ik knikte.

'Oké mensen,' brulde ze. 'En nou zijn jullie stil. Houd je rustig en luister naar mij. En jij ook, vetzak. Hou je smoel, anders ram ik m'n poot in je kont.'

De schok die ze veroorzaakte door dergelijke taal uit te slaan, gaf ons tenminste even armslag. We hadden inmiddels een linie gevormd, dwars over de breedte van het toestel, en hielden met onze pistolen op de stoelleuningen voor ons gesteund, de verbijsterd door elkaar lopende groep van plusminus dertig schapen onder schot.

Die pistolen van ons boezemen iedereen ontzag in, op een enkele waaghals na. In wezen is een standaard verdover gewoon een plastic busje met twee richtroosters erop. Er zit niet genoeg metaal aan om de elektronische wapencontrole te laten afgaan. Maar